orrade 85 01 7.75

S0-AFV-188

COLLECTION *QUI? POURQUOI?*

Les trains

par Hans Reichardt

AVEC LES HOMMAGES DU
MINISTERE DES AFFAIRES CIVIQUES
ET CULTURELLES DE L'ONTARIO

Illustrations de
Anne-Lies Jhme et Gerd Werner

Traduction française de M. H. Bibault

«Puffing Billy», construite en Angleterre, en 1813; vitesse maximale: 7 km/h.

EDITIONS CHANTECLER

Titre original : Die Eisenbahn.
© MCMLXXV by Neuer Tesslof Verlag, Hamburg.
© MCMLXXIX by Editions Chantecler,
division de la Zuidnederlandse Uitgeverij NV, Aartselaar.
Toute reproduction ou publication d'un extrait quelconque de ce livre par quelque procédé que ce soit et notamment par
photocopie ou microfilm est strictement interdite sans autorisation préalable écrite de l'Editeur.
D-MCMLXXIX-0001-18

TABLE DES MATIÈRES

BIBLIOTHÈQUE PUBLIQUE FEB. 1985 Reçu STURGEON FALLS

Il y a 4 500 ans, Eannada, roi de Lagash, cité sumérienne en Mésopotamie, revint d'une campagne militaire avec un précieux butin. Les chars du cortège triomphal roulaient sur des sillons empierrés.

COMMENT DES SILLONS DEVINRENT DES RAILS

Cyclistes, automobilistes et même astronautes, tous peuvent guider leur véhicule dans la direction voulue.

Les locomotives n'ont pas de volant ?

Le conducteur de locomotive ne le peut pas. Les locomotives n'ont pas de volant de direction. Elles suivent une voie déterminée. Car elles roulent sur des rails.

On inventa les rails dès l'Antiquité. Il y a 4 000 ans, en Assyrie et en Babylonie, on trouvait déjà des charrettes à deux ou quatre roues. Mais on ne pouvait pas encore les diriger. Si l'on voulait tourner, il fallait les soulever à l'avant ou à l'arrière, et les mettre dans la direction désirée.

Après de fortes pluies, lorsque le sol était détrempé, ces chars provoquaient parfois de profondes empreintes dans la boue ; lorsque la terre séchait, ces traces subsistaient − deux profonds sillons parfaitement parallèles.

Ces sillons furent les précurseurs des rails. On en vit bientôt sur toutes les routes, et là où ils ne se formaient pas spontanément, des hommes les creusèrent.

Plus tard, lorsque l'on pava les routes, des

Où découvrit-on des rails datant de l'Antiquité ?

tailleurs de pierres les creusèrent dans le sol ; dans la Grèce antique, on installa même des gares d'évitement. Aujourd'hui, il reste peu de ces premiers rails ; on en découvrit tout un système dans les ruines de Pompéi, ville italienne qui fut détruite par une éruption du Vésuve en 79 apr. J.-C.

Ce n'est que quelque 1500 ans plus tard, au début de l'époque moderne qu'apparut une nouvelle sorte de rails : on fixait de longs troncs d'arbres polis sur des traverses disposées perpendiculairement. Les bandes de roulement des roues étaient munies d'une gorge pour qu'elles ne puissent pas dérailler. Ce fut un grand progrès. Car sur le bois dur, les chars roulaient plus facilement et plus vite que dans les sillons sablonneux ou empierrés. Ces troncs d'arbres furent en quelque sorte les premiers rails du monde.

En Europe, au XVIème siècle, on se mit à exploiter systématiquement les richesses du sous-sol. La technique des rails connut alors une grande expansion. Dans les Carpates du Sud, où l'on cherchait de l'or, en Europe centrale, dans le Tyrol, en Angleterre et en Alsace, où l'on extrayait des minerais et du charbon, apparurent les premiers trains de mine. La plupart roulaient sur des rails de bois, les charrettes avaient des roues évidées. Lorsque le bois se déplace sur du bois, il se produit parfois un grincement ; cela ressemble aux vagissements d'un jeune chien. Aujourd'hui, les berlines des mines se nomment encore 'chiens', en souvenir de cette époque.

Vers la même époque, en Europe centrale,

Quand inventa-t-on le train ?

on invente une nouvelle sorte de roues ; leur bande de roulement n'était plus évidée, mais portait un boudin sur la face interne, ce qui maintenait fermement le véhicule sur les rails.

C'est alors que l'on vit les premiers

Fourgon d'un chemin de fer minier, dans une mine d'or à Siebenbürgen ; XVIème siècle.

trains. Jusqu'alors, les voitures étaient tirées une à une par des hommes, des bœufs ou des chevaux ; la résistance à l'avancement, avait tellement diminué que l'on pouvait tirer plusieurs voitures à la fois. Une force de traction et plusieurs voitures, – c'est un train. Le train est donc une invention du XVIème siècle.

Mine d'argent en Alsace, avec ses wagonnets roulant sur des rails de fer aux traverses de bois ; gravure sur bois de 1550.

Pour transporter le minerai ou le charbon

Comment les mineurs britanniques transportaient-ils les minerais ?

depuis la mine jusqu'aux ports situés généralement en contrebas, les mineurs britanniques avaient imaginé un système fort simple : dans la mine, on chargeait à fond les voitures, les chevaux venaient dans la dernière. Entraîné par la pesanteur, le train tout entier descendait la pente menant au port. Arrivées en bas, les voitures étaient déchargées, on attelait les chevaux devant le train vide, et ils le remontaient. En haut, les chevaux de trait montaient de leur propre chef dans la dernière voiture, et ainsi de suite.

En 1767, M. Darby, propriétaire d'une

L'invention des rails métalliques ?

fonderie à Coalbrookdale (Angleterre) avait des soucis. La guerre de Sept ans et la guerre coloniale franco-britannique étaient terminées, personne ne voulait acheter de canons, et, dans la cour de la fonderie, le fer s'entassait.

C'est alors que M. Reynolds, gendre de M. Darby, eut une idée. Malgré la résistance de son beau-père, il fit fondre une partie des barres de fer éparpillées en minces bandes d'un mètre de long. Il fit fixer ces bandes sur les traverses de bois du train de la mine. Le succès fut sensationnel : sur ces rails métalliques, un cheval

pouvait tirer des charges beaucoup plus lourdes que par le passé, car la résistance par frottement était bien inférieure sur du métal lisse que sur du bois tendre et poreux.

Le 13 novembre 1767, un train tiré par un cheval roulait pour la première fois sur des rails de métal ; on considère ce jour comme la date de naissance du chemin de fer.

Mini-chemin de fer dans un parc d'attractions.

Certes, les rails en fonte se brisaient moins

Depuis quand les rails sont-ils en acier ?

souvent que leurs prédécesseurs en bois, mais ils se cassaient encore trop souvent. En 1820, le Britannique John Berkinshaw réussit à

Diligence sur rail de Linz à Budweis (Autriche), début du XIXème siècle.

Dans le monde entier, des sociétés de chemin de fer se mirent à pousser comme des champignons, car, entre-temps, on avait aussi inventé la locomotive à vapeur (voir chapitre suivant). Mais au lieu de se mettre d'accord sur un écartement universel, presque tous les Etats, et même des provinces isolées, construisirent des voies avec leur écartement «national». La faute en incombe à la prétention des ingénieurs de l'époque qui juraient que seul l'écartement qu'ils avaient choisi, et nul autre, était le meilleur. Et les généraux d'alors se réjouissaient de ce manque de cohésion. Des écartements différents empêchaient l'ennemi d'utiliser ces trains pour, en temps de guerre, parvenir par le rail et la vapeur, jusqu'à la capitale ennemie ; tels étaient leurs arguments.

| Pourquoi y a-t-il différents écartements ? |

Depuis, la plupart des Etats se sont mis d'accord sur un écartement commun. Presque tous les pays européens ont un écartement de 1.435 mm ; l'Espagne et le Pakistan roulent sur des voies de 1.676 mm, le plus grand écartement du monde. C'est la Great Western Railway, en Angleterre, qui eut le plus grand écartement jamais réalisé : 2.134 mm. Il fut supprimé en 1892. Le plus petit écartement pour le

| Quel écartement la SNCF utilise-t-elle ? |

transport de marchandises et de voyageurs est de 381 mm ; on le rencontre fréquemment dans les expositions et dans les parcs d'attractions. Le plus petit chemin de fer miniature qui roule vraiment a un écartement de 4 mm : c'est l'œuvre d'un bricoleur amateur viennois.

laminer des rails d'acier. La résistance de ces rails était considérablement augmentée, et ils ne mesuraient plus un mètre, mais 4 1/2 m. Alors commença le prodigieux essor du chemin de fer dans le domaine du transport des marchandises de toutes sortes et des voyageurs.

Chemin de fer : ce mot s'est vite imposé pour toutes les voies munies de rails en fer. Non seulement en français ; en allemand, chemin de fer se dit «Eisenbahn», en italien «ferrovia», et la traduction est littérale. Seule la langue anglaise ne mentionne pas cette amélioration : «railway», donc «chemin à rails» ignore la nature des rails.

Les rails de la SNCF, ajustés entre eux, mesurent aujourd'hui presque 60 mètres; un mètre de rail pèse presque 0,5 quintal. A l'heure actuelle, les voies se composent de moins de sections de rails, mais les rails sont soudés entre eux. Le «ramm-tamm-tamm», que l'on entendait autrefois lorsque le train passait d'un rail à l'autre, est considérablement atténué. Mais cette technique de soudure n'est cependant possible que dans les régions ne connaissant pas des températures trop extrêmes. Car les rails, comme tous les métaux, se dilatent sous l'effet de la chaleur et se rétractent sous celui du froid. Les rails ajustés entre eux ont une marge de dilatation, ce qui leur permet de se dilater par temps chaud. Les rails soudés n'ont pas cet intervalle. Ceux-ci et les traverses sur lesquelles ils sont ajustés sont si solidement ancrés au ballast qu'ils ne se dilatent qu'à des températures supérieures à 80 degrés.

Les sections de rails des voies soudées mesurent chacune 120 m. Elles sont amenées sur le chantier par wagons spéciaux, et on les soude sur place. Comme l'acier est très malléable, même les sections prévues pour les virages sont droites. Ce n'est qu'à la pose qu'on leur donne la courbure requise avant de les fixer sur les traverses. Les traverses sont en béton ou en bois. Pour les aiguillages, on n'utilise que des traverses de chêne ou de hêtre.

Si l'on doit rénover une voie existante, un

| **Comment déplace-t-on des voies?** |

train spécial de plusieurs dizaines de mètres de long entre en action. Il déplace environ 250 m de rail à l'heure. A l'avant, se trouvent les nouvelles voies et traverses. La partie centrale du train soulève les anciens rails et

Train de renouvellement en action. Ce colosse sur roues a 700 m de long. L'avant roule encore sur les vieux rails et l'arrière sur les nouveaux rails et traverses. En huit heures, il pose environ 2000 m de rails neufs.

On lamine des rails ayant jusqu'à 60 m de long. Puis on les soude pour en faire des rails de 120 m que l'on transporte là où ils doivent être posés. C'est là qu'on les soude définitivement.

autorails; ensemble, ils remorquent 15.330 voitures de voyageurs et plus de 210.000 wagons de marchandises de la SNCF, ainsi que 65.000 wagons de marchandises privés.

La SNCF emploie 262.000 personnes. L'utilisation de cette organisation est, elle aussi, gigantesque: en 1976, on a transformé 1.198.000 m3 de carburant diesel et 5 milliards de kilowatts-heure d'électricité en kilomètres de transport. La SNCF transporte 251 millions de tonnes de marchandises.

Longueur du réseau ferroviaire mondial

La longueur totale de tous les réseaux ferroviaires du monde s'élève à environ 1 280 000 kilomètres. Un ruban double qui ferait 30 fois le tour de la Terre.

traverses, nettoie, aplanit le ballast et le complète, et dépose finalement les nouvelles traverses et voies. La partie arrière du train ramasse les vieux rails et traverses. La partie avant du train roule donc sur les vieux rails et la partie arrière sur les neufs.

En 1975, la SNCF disposait de 80.000 km de lignes; 9.327 km sont électrifiés. La longueur des rails — la plupart des lignes ont souvent plus de deux voies — s'élève à 130.000 km. Sur ces rails, roulent chaque jour 9.000 trains de voyageurs et 3.500 trains de marchandises. Chaque année, 696 millions de personnes entrent et sortent de 6.000 gares. Le parc automobile de la SNCF se compose de 4.540 locomotives et de 936

Combien de voyageurs transporte la SNCF?

COMMENT LA MACHINE À VAPEUR FUT-ELLE ÉQUIPÉE DE ROUES?

Il y a environ 400 000 ans, l'homme apprit à utiliser le feu.

<table><tr><td>Qui construisit la première turbine à vapeur?</td></tr></table>

Il apprit à le maintenir en combustion et à le rallumer lui-même. Plus tard, il apprit que le feu ne servait pas seulement à chauffer sa caverne. Avec le feu, on peut cuisiner, c'est-à-dire préparer des repas, et lorsque l'on chauffe fortement de l'eau, on obtient de la vapeur.

Le premier homme qui réalisa un travail à l'aide de la vapeur fut le mathématicien et naturaliste grec Héron d'Alexandrie

Héron d'Alexandrie inventa la première turbine à vapeur du monde: l'éolipile. Selon le même principe, le physicien grec construisit plus tard une porte s'ouvrant automatiquement.

(vers 150 à 100 apr. J.C.). Il inventa l'éolipile. C'était une boule creuse qui pouvait tourner autour de son axe horizontal. A l'«équateur» de cette boule, se trouvaient deux tuyaux d'échappement en forme de «L», disposés face à face. Héron introduisit de la vapeur dans la boule à l'aide de deux tubes. La vapeur sortit pas les deux tuyaux — avec la réaction, la boule se mit à tourner. Pour Héron, cette éolipile n'était vraisemblablement qu'un passe-temps scientifique; mais en fait, il venait d'inventer la première turbine à vapeur du monde.

La machine à vapeur d'Héron retomba bientôt dans l'oubli. Ce n'est

<table><tr><td>Combien un litre d'eau fournit-il de vapeur?</td></tr></table>

que 1000 ans plus tard que l'on s'en souvint. Dans certains couvents du Moyen-Age, on munit les broches à rôtir d'appareillages semblables. Sous la pression de la vapeur introduite, la broche et sa viande tournaient lentement autour de leur axe, et toutes les faces du rôti étaient également cuites.

Ce n'est qu'au XVIIème siècle que l'on commença à réfléchir aux possibilités d'utiliser intelligemment la force de la vapeur. En 1685, le mécanicien de la Cour britannique, Sir Samuel Morland, adressa un rapport à son seigneur, le roi Charles II. Le physicien y indiquait trois qualités de la vapeur: l'eau bouillante se transforme en vapeur; un litre d'eau fournit 1 700 litres de vapeur. Deuxièmement: cette vapeur a une force exceptionnelle. Morland écrivait: «Elle (la vapeur) préfère faire sauter un récipient que de se soumettre à la captivité. Mais si on la guide,

C'est avec cette machine que commença la révolution technique : le Français Denis Papin construisit une machine à vapeur ; pour la première fois, on utilisa la vapeur d'eau pour soulever un piston.

elle supporte tranquillement sa peine comme un brave cheval et peut donc être très utile à l'humanité. » Morland avait encore établi quelque chose : la vapeur refroidie se retransforme en eau, elle se condense. Dans les récipients fermés, cette condensation produit une dépression.

Sir Manuel se contenta de ces réflexions théoriques. Il ne songea pas à mettre ses idées en pratique.

Treize ans plus tard, en 1698, la première machine à vapeur du monde soufflait et crachait en Angleterre. Elle avait été construite par le capitaine britannique Thomas Savery ; il s'en servait pour pomper l'eau qui suintait dans les galeries d'une mine.

| **Qui construisit la première machine à vapeur ?** |

La machine fut surnommée « l'amie du mineur ». Elle se composait essentiellement d'un grand tonneau rempli de vapeur que l'on aspergeait ensuite d'eau froide. La vapeur se condensait, ce qui provoquait une dépression dans le tonneau. Par un système de tuyaux, le vide aspirait l'eau suintant dans la mine et la dirigeait dans le tonneau. Puis on fermait le tube aspirant avec un robinet, et l'eau ne pouvait plus ressortir. On ouvrait un autre robinet et l'eau s'échappait. Et ainsi de suite. On effectuait ces manœuvres cinq fois par minute, et, chaque fois, de 10 à 20 litres d'eau d'infiltration remontaient à la surface.

A peu près vers la même époque, le Français Denis Papin (1647-1714) construisit sa machine à vapeur ; pour la première fois, le vide fut utilisé pour mouvoir un piston.

La machine de Papin se composait d'un tuyau vertical d'environ six centimètres de diamètre. Dans le tuyau, on avait introduit hermétiquement un piston, et une petite quantité d'eau se trouvait dans le fond du cylindre. On faisait bouillir cette eau. Elle se transformait en vapeur et poussait le piston vers le haut. Papin l'y maintenait avec un crochet jusqu'à ce que la vapeur se fût refroidie et se fût condensée. Papin lâchait le crochet et la dépression aspirait le piston vers le bas.

11

Il y a 200 ans, ces «pompes à feu» pompaient l'eau qui suintait dans les mines anglaises.

En 1712, un marchand de métaux anglais, Thomas Newcomen imagina une nouvelle amélioration: la tige du piston sortant du cylindre était maintenant reliée à une solide traverse de bois. Celle-ci était fixée en son centre, et à l'autre extrémité un système de levier la reliait à une pompe placée dans la galerie de mine. Chaque fois que le piston montait et descendait dans le cylindre, le mouvement était transmis à la pompe et l'eau était extraite de la mine.

Comment travaillait la «pompe à feu»?

L'invention de Newcomen fut fêtée comme un grand progrès; 50 ans plus tard, plus de 100 «pompes à feu» (c'est ainsi qu'on les appelait) travaillaient dans les mines anglaises. Elles consommaient certes beaucoup de charbon, mais elles facilitaient le travail des mineurs.

Les pompes à feu incitèrent l'ingénieur et mécanicien écossais James Watt (1736-1819) à se poser une question: pourquoi les machines de Newcomen utilisaient-elles tant de charbon ? Il eut tôt fait de trouver la réponse : en chauffant longtemps, refroidissant et réchauffant le cylindre, on gaspillait la majeure partie de l'énergie. On devait donc...

James Watt se procura une vieille seringue

<table>
<tr><td>

Comment était conçue la première machine à vapeur de Watt ?

</td><td>

de médecin en laiton, de 25 cm de long et de 4 cm de diamètre, et il fabriqua un modèle. Il isola les parois du cylindre de telle

</td></tr>
</table>

sorte que la chaleur était conservée. Il relia le cylindre à un condensateur, c'est-à-dire à un espace clos où se maintenait une température froide. A l'autre extrémité du piston, Watt fixa un poids de neuf kilos. Puis il fit du feu sous un récipient d'eau séparé, et conduisit la vapeur dans le cylindre, et — effectivement — la machine fonctionna : la vapeur soulevait le piston, se dégageait dans le condensateur, s'y condensait et la dépression aspirant le cylindre, le piston redescendait. Pendant ce

temps, le poids montait et descendait — le prototype de machine à vapeur de Watt avait réussi l'épreuve.

Outre le condensateur isolé, cette machine avait un autre avantage : grâce à un ingénieux système de soupapes, on amenait la vapeur dans le cylindre tantôt au-dessus, tantôt en dessous du piston. C'est-à-dire qu'en montant et en descendant, le piston était aspiré par le vide et repoussé par la vapeur. La machine de Watt développait donc une double force.

Parce qu'il n'avait pas assez d'argent, Watt s'associa avec Matthew Boulton, un riche marchand de jouets, et en 1775, il érigea avec lui une usine pour fabriquer sa machine. Le succès fut grand, les machines se vendaient comme des petits pains. Car les machines de Watt étaient réellement meilleures que celles de Newcomen. En 1781, dans une mine de Cornwall (Angleterre), on remplaça sept machines de Newcomen par cinq de Watt, avec le même rendement. Les Newcomen avaient consommé 19 000 tonnes de charbon par an, celles de Watt, par contre, n'en exigeaient que 6 100 pour la même période.

Watt bricola sa première machine à vapeur avec les seringues d'un médecin. Plus tard, ses grandes machines eurent une puissance deux fois supérieure aux anciennes, mais consommaient la moitié moins de charbon.

La première voiture à vapeur fut construite en 1769 à Paris par Nicolas Cugnot.

Toutes les machines de Watt étaient immobiles, solidement fixées au sol. Watt n'eut pas l'idée d'utiliser sa machine pour entraîner un véhicule.

Qui construisit la première voiture à vapeur ?

Pourtant, cette idée n'était pas neuve : dès 1769, un ingénieur de l'armée française, Nicolas Cugnot, avait, sur la demande du Ministère de la Guerre, construit un véhicule mû par une sorte de machine à vapeur. Cette première voiture à vapeur du monde fut construite pour remorquer de lourdes pièces d'artillerie.

Le véhicule de Cugnot était un monstre lourdaud. Il comportait à l'avant une énorme citerne semblable à une bouilloire, qui fournissait de la vapeur à deux cylindres. Un système compliqué de bielles et de roues dentées transmettait la force des cylindres à une seule roue avant sur laquelle était fixée la citerne. Cet engin fut construit en deux exemplaires. Mais l'attente fut déçue. Ils furent retirés du service et oubliés.

Trente-trois ans plus tard, on était un peu plus avancé : en 1802, dans un grondement de tonnerre, l'arrière-grand-mère de toutes les locomotives à vapeur actuelles

Quelle était la vitesse de la première locomotive de Trevithick ?

roulait sur la route de Plymouth à Reduth. Cette machine, qui ne se déplaçait pas encore sur des rails, atteignit la vitesse de 13 km/h.

Le constructeur de cette « diligence à vapeur sur route » était le Britannique Richard Trevithick, ingénieur des mines Dingdong en Cornouailles. Dès sa prime jeunesse, Trevithick fut un fanatique de la vapeur. Il s'était associé avec l'ancien apprenti de Watt, William Murdock. Trevithick construisit la machine, Murdock inventa un nouveau système pour introduire au moment propice la vapeur dans le cylindre. La machine de Trevithick avait, elle aussi, une double action, la vapeur exerçant alternativement une pression sur les deux extrémités du piston. D'autre part, Trevithick employa pour la première fois de la vapeur hautement pressurisée.

Cela lui valut les critiques de James Watt et de presque tous les ingénieurs de l'époque. Les partisans de l'ancienne basse pression prétendaient que la haute pression était une imprudence criminelle, que les parois du cylindre ne résisteraient pas et pourraient exploser d'un instant à l'autre. En un mot: ce que Trevithick avait construit était dangereux.

Mais les machines de Trevithick n'explosèrent pas. Elles étaient plus petites que les machines géantes de Watt, leur emploi était plus commode et avant tout plus rentable. Le glas avait sonné pour les énormes et lourdes machines de Watt.

Comment appela-t-on les premières locomotives?

Pour attirer l'attention du public sur ses machines, Trevithick transporta avec une voiture à cheval une diligence à vapeur sur route jusqu'à Londres et en fit la démonstration publique. Mais le public ne se montra pas enthousiasmé. Au contraire, nombreux étaient ceux qui éprouvaient une vraie panique devant la machine. On surnomma ces machines les «diables de fer», et le cocher qui avait amené la machine de Trevithick à Londres devait certainement penser qu'elle était le diable en personne.

En dépit de nombreuses résistances, Trevithick et Watt ont, avec leurs machines, accéléré le processus d'industrialisation de l'économie européenne. Et aujourd'hui, Trevithick passe pour être le «père de la locomotive».

Qui passe pour être le «père de la locomotive»?

Deux ans après la première locomotive à vapeur, le 21 février 1804 exactement, c'était l'apparition du premier véritable chemin de fer à vapeur: Trevithick l'avait construit pour le train de charbon d'une mine près de Merthyr-Tydfil (Pays de Galles). Ce train doit son existence à un pari. Le propriétaire de la mine avait eu une dispute avec son voisin: il s'agissait de savoir si une de ces nouvelles machines montées sur rails était capable de tirer 10 tonnes de fer sur les 15,7 km de sa mine. Ces messieurs parièrent 525 livres sterling en or, somme énorme à l'époque.

Trevithick fut chargé de construire la machine adéquate, et le 21 février 1804, le départ fut donné: sous les hourras des spectateurs — mineurs et curieux —, la machine et ses remorques chargées parcoururent la distance en quatre heures cinq minutes. Ce train fut aussi le premier à transporter des voyageurs. Par jeu, 70 mineurs avaient commencé par marcher à côté du train, puis ils avaient sauté dans les voitures; ils étaient ainsi devenus les premiers voyageurs en chemin de fer du monde.

Quand circula le premier train de voyageurs?

Pour ce voyage, la machine consomma 101,6 kg de charbon. Les voies se composaient de rails de fer posés sur des pierres. En fait, les rails n'étaient pas prévus pour le poids de la locomotive; ils se brisèrent en maints endroits.

La première locomotive sur rails de Trevithick, et aussi la première du monde, n'a pas été conservée. On sait cependant aujourd'hui quel aspect elle avait: c'était essentiellement une machine à vapeur sur roues. Elle avait un cylindre, la citerne était chauffée de l'intérieur. La tige du piston sortait par derrière, et grâce à une crosse, agissait sur deux glissières parallèles. Grâce à une bielle, celles-ci entraî-

15

La première locomotive de Trevithick, construite en 1804. Cette photo ne représente qu'une maquette, l'originale ayant été détruite.

En 1808, à Londres, les « intrépides » pouvaient, contre un shilling, faire quelques tours sur la « Catch me ».

naient un énorme volant, qui transmettait sa force à quatre roues.

Au cours des années suivantes, Trevithick construisit plusieurs locomotives, mais elles ne remportèrent jamais un succès éclatant. En 1808, Trevithick chercha encore à forcer la chance et à enthousiasmer le grand public pour son idée. Il construisit sa célèbre « catch me who can » (« m'attrape qui peut »). Cette machine avait un cylindre vertical, le grand volant avait disparu. On avait accroché à la locomotive une calèche ouverte. La « catch me » roulait sur une voie circulaire à Londres. Une haute clôture dissimulait l'installation aux regards indiscrets. En payant un shilling pour

Pourquoi Trevithick construisit-il sa « catch me » ?

entrer et en faisant preuve d'un peu de courage, on pouvait faire quelques tours dans l'unique voiture du train. Tout cela ressemblait beaucoup à du cirque, mais peu importe — c'était le premier chemin de fer au monde construit uniquement pour des passagers.

Même la « catch me who can » n'obtint pas le succès escompté. Les journaux y firent à peine allusion, ou bien c'était pour en parler avec dédain. Un accident, heureusement sans gravité, mit un point final au premier chemin de fer pour voyageurs. Une fois de plus, Trevithick était ruiné, il ne put remédier aux dommages subis par la locomotive. Sans autre forme de procès, il fit démolir l'installation et la mit à la ferraille.

Le père de la locomotive, génial inventeur, mourut en Angleterre en 1833, pauvre et oublié.

16

COMMENT LA LOCOMOTIVE ACQUIT DE LA VITESSE

Coupe du « Drachen » (Dragon), construit en 1848 : les gaz de combustion sortent de la boîte à feu (A), passent par les tuyaux (B) à travers l'eau (rouge) pour arriver dans le fumoir (C) et la cheminée (D). L'eau bout. La vapeur (rose) passe par le dôme de vapeur (E), le tuyau de vapeur (F), et le canal d'admission gauche (G) pour aller dans le cylindre (H). Le piston (I) est poussé vers la droite, et la vapeur s'échappe alors par le canal d'admission droit (J) et le tuyau d'échappement (K). Le mouvement de rotation des roues (N) entraîne la tige des soupapes, et les soupapes ferment le canal d'admission gauche et ouvrent le canal droit par lequel une nouvelle vapeur pénètre dans le cylindre.

Le premier chemin de fer public du monde

Quand circula le premier chemin de fer public ?

fut une voiture à cheval dont les roues roulaient sur des rails métalliques. Il alla de Wandsworth (Angleterre) à Croydon ; sur cette voie unique, on ne transportait que des marchandises . Le 21 mai 1801, ce train fut ratifié par le parlement britannique, et il circula pour la première fois le 26 juin 1803.

Trois ans plus tard, le premier train de voyageurs fut mis en service. Le « Oystermouth Railway » longeait la côte du Pays de Galles à partir de Swansea. Ce n'étaient pas de vrais trains, mais des voitures individuelles, tirées par deux chevaux. Ce n'est qu'en 1877 que l'on adapta cette ligne à la vapeur. Sur le continent européen et aux USA, on construisit aussi des chemins de fer à chevaux individuels mais personne n'était prêt à essayer la locomotive à vapeur du malheureux Trevithick sur les rails des voitures à cheval. C'est le grand inventeur George Stephenson qui émit l'idée que l'on pouvait transporter hommes et matériel sur des rails en fer grâce à une traction à vapeur. Stephenson naquit en 1781 à Wylam (Angleterre) dans une famille de mineurs. Comme c'était courant, jadis, dans les familles pauvres, le petit George n'alla pas à l'école, mais travailla à la mine. Il commença par trier le charbon ; puis il fut cocher au fond de la mine. A 19 ans, il ne savait ni lire ni écrire.

Depuis sa plus tendre enfance, Stephenson

Comment s'appelait la première locomotive de Stephenson ?

s'était intéressé vivement aux machines à vapeur ; dès qu'il le pouvait, il les bricolait. En 1812, il devint constructeur de machines, un an plus tard, ingénieur. En 1814, il construisit une « machine-locomotive » — ainsi l'appelait-on alors —, la « Mylord ». Elle pesait cinq tonnes et elle pouvait tirer huit wagons chargés d'un poids total de trente tonnes sur les rails de la mine de Killingworth, pour lesquels Stephenson l'avait conçue.

Grâce à cette machine, le jeune ingénieur avait mis fin à une rude querelle entre les spécialistes. Jadis, de nombreux techniciens croyaient que l'adhérence des roues métalliques sur les rails de fer ne serait pas suffisante, et que donc, avec des trains lourds, les roues de la locomotive patineraient comme les pneus d'une voiture sur une plaque de verglas. En fait, les locomotives étaient si légères alors, qu'on rencontra divers problèmes. On fit des essais avec des roues dentées, des roues striées et même d'étranges «béquilles» placées à l'arrière de la locomotive, qui devaient la pousser en avant. Cependant, la locomotive de Stephenson fut suffisamment lourde — tout comme ses suivantes jusqu'à aujourd'hui — pour remorquer le train. Les roues lisses venaient de triompher.

Après douze locomotives, Stephenson construisit en 1825 sa «Locomotion». Sur cette machine, les roues arrière et les roues avant étaient

> **Quand circula le premier train à vapeur régulier ?**

pour la première fois reliées par une bielle. En démarrant, les roues isolées ne pouvaient plus patiner. C'est une des nombreuses inventions que nous devons au génie de Stephenson.

Mais la «Locomotion» a également une importance historique ; le 27 septembre 1825, elle tira le premier train à vapeur public et régulier du monde. Il se rendit de la ville minière de Darlington à la ville portuaire de Stockton. Il mit trois heures pour parcourir les 20 kilomètres. Bien qu'il ait accueilli 600 passagers, le train n'avait qu'un seul compartiment de voyageurs où se tenaient les invités d'honneur et les personnalités officielles. Le reste des voyageurs s'était installé en joyeuse fanfare dans les wagons à charbon répartis devant et derrière le compartiment de voyageurs. Lorsque le soldat qui portait le drapeau britannique et caracolait devant le train arriva à Stockton à 15 h 45, 40.000 spectateurs attendaient. Ils agitèrent leurs mouchoirs en poussant des «hourras», tandis que les cloches des églises carillonnaient et que tonnaient les salves de canons. Stephenson devait dire plus tard : «Ce soir-là, tout le monde était gris, moi y compris.»

Mais les sceptiques n'avaient pas dit leur dernier mot. La locomotive devait rouler sur route,

> **Pourquoi les médecins mettaient-ils en garde contre le train ?**

disaient les uns ; les médecins mettaient en garde contre les vitesses élevées des chemins de fer qui mettaient en péril la santé des hommes. La locomotive roulant

Le premier train de voyageurs se rendit en 1825 de Stockton à Darlington (Angleterre) sous les acclamations des spectateurs.

La «Rocket» (fusée) de Stephenson gagna la course.

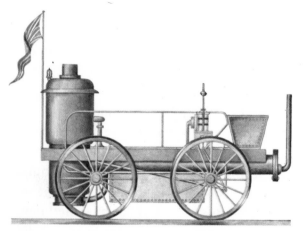

La «Novelty» (nouveauté) explosa.

La «Sans pareille» fut seconde.

sur la ligne Darlington-Stockton resta longtemps l'exception. Parmi les trains à vapeur, circulaient encore des voitures à cheval car la plupart des gens étaient encore terriblement effrayés par ces monstres crachant des flammes et roulant à grand fracas. Et en mars 1825, le très sérieux journal londonien «Quarterly Review» écrivait encore: «Que peut-il y avoir d'aussi absurde et d'aussi ridicule que la perspective de construire des locomotives qui vont deux fois plus vite que les diligences? Les gens feraient aussi bien de se faire propulser par une fusée que de s'en remettre à la grâce de ces machines.»

Aussi ridicule qu'elle puisse nous paraître aujourd'hui, cette méfiance était compréhensible. Car, depuis qu'il y avait des hommes, jamais personne n'avait pu se déplacer à une vitesse supérieure à celle d'un cheval.

Stephenson s'associa avec une firme, qui, en dépit de toutes les résistances, voulait construire la ligne de chemin de fer Liverpool-Manchester. Pour déterminer quelle machine serait la meilleure — entretemps, de nombreux ingénieurs et industriels avaient commencé à construire des locomotives — on organisa un concours. Chaque machine devait parcourir vingt fois une distance de 2,5 km à Rainhill (Angletere); en même temps, il lui fallait remorquer un wagon chargé de pierres, qui était trois fois plus lourd que la locomotive elle-même.

Cinq locomotives furent invitées à participer à la compétition; l'une d'elles n'était pas mue par la vapeur, mais tirée par un cheval galopant à l'intérieur de la machine, et donc invisible. Le 6 octobre 1829, cette course eut dix mille

> **Qui remporta la course de locomotives de Rainhill?**

20

Le train de voyageurs, de première classe (en haut) et le train de voyageurs de seconde classe (en bas) sur la ligne Manchester-Liverpool.

spectateurs. Le départ donné, une locomotive du nom de « Novelty » (Nouveauté) sembla tout d'abord se détacher. Elle roulait à quarante-cinq kilomètres-heure, le wagon n'ayant toutefois pas été accroché. Lorsqu'au second tour il le fut, on entendit une détonation — la « Novelty » avait explosé. Par bonheur, il n'y eut pas de blessés. Une autre machine avait déclaré forfait avant même de concourir : la voiture à cheval qui devait l'amener au point de départ se renversa. C'est finalement la « Rocket » (Fusée) de Stephenson qui remporta l'épreuve. elle présentait deux importantes innovations : à la place d'un système compliqué de manivelles et de roues dentées, les bielles étaient directement reliées par des boulons aux roues avant motrices. Et la chaudière horizontale comportait 25 tubes de laiton. L'eau était alors chauffée plus vite, il y avait plus de vapeur et le rendement était meilleur. C'était une idée de l'ingénieur français Marc Seguin, et Stephenson et son fils l'appliquèrent à la construction de leur machine. Le père et le fils reçurent le prix de 500 livres et furent chargés de construire d'autres machines pour la ligne.

Vers 1825, un peu partout en Europe, on fonda des sociétés de chemin de fer et on ouvrit des voies. Dès 1833, chaque morceau de charbon extrait en Angleterre était transporté par train à vapeur. Fin 1835, l'île possédait déjà 720 km de voies à traction à vapeur.

Quelles furent les premières lignes françaises ?

Le 7 décembre 1835, on ouvrit la première ligne allemande. La locomotive « Adler » parcourut la distance Nuremberg-Furth à 24 km/h. C'était grâce à l'initiative du roi Louis de Bavière.

La Belgique, devenue indépendante de la Hollande en 1831, réalisa ses deux premières lignes, une ligne nord-sud Anvers-Bruxelles-frontière française et une ligne ouest-est Ostende-Louvain-frontière allemande, terminées en 1844. En 1870, la Belgique comptait 3000 km de voies.

En France, le chemin de fer se développa grâce à l'initiative privée : les Rothschild d'une part et les Pereire d'autre part. Tandis que le Parlement débattait les modalités du futur chemin de fer, les Pereire étudièrent la ligne Liverpool-

«L'Aigle» construit par R. Stephenson fut la première locomotive à parcourir, en 1835, la distance Nuremberg-Fürth. «L'Aigle» original n'existe plus mais une copie est exposée au Musée des Communications de Nuremberg. Les tonneaux de bière chargés sur la locomotive furent premières marchandises transportées par le chemin de fer allemand.

Manchester et furent convaincus de l'utilité des chemins de fer. Ils obtinrent le permis de construire une ligne de Paris à Saint-Germain, ville toute proche. Ce chemin de fer fut inauguré en 1837; il eut beaucoup de succès et stimula le développement. En 1842, la loi sur les chemins de fer fut votée: Paris devait être le centre du réseau de chemins de fer, et des lignes rayonneraient vers Calais et Lille, Strasbourg et Nancy, Toulouse et la frontière espagnole, Rouen et Le Havre, Nantes et Brest; l'Etat fournirait les terrains et les compagnies privées poseraient les rails. La même année, il y avait 600 kilomètres de rails. L'année suivante, les Pereire contrôlaient les réseaux du Midi, de l'Est et de l'Ouest; les Rothschild les réseaux du Nord, du Paris-Orléans et du Paris-Lyon-Méditerranée.

Entre-temps, la révolution industrielle s'était accomplie en Europe et aux USA. Les petits ateliers devinrent des usines. La production réclamait des matières premières et du charbon pour les machines; le produit fini devait être livré.

L'essor du chemin de fer

Le chemin de fer arrivait à point nommé. Il eut une importance considérable, non pas tant pour le transport des voyageurs que pour le transport de marchandises. Car il disposait de trois avantages considérables sur les moyens de transport connus jusqu'alors:

— Le chemin de fer était plus économique. Le frottement de la roue sur le rail est minime, il faut donc relativement peu d'énergie pour faire progresser le train. Un conducteur de locomotive et un mécanicien suffisent pour conduire tout un train de marchandises, tandis que sur la route, chaque voiture nécessitait un cocher. Avec les diligences sur rail, le transport d'une tonne de charbon coûtait 84 centimes au kilomètre grâce au chemin de fer à vapeur, le prix ne fut plus que de 18,2 centimes.

— Le chemin de fer était plus rapide. Les voyages privés et les voyages d'affaires n'étaient plus aussi fatigants qu'avec les diligences ; les contacts humains et économiques se resserrèrent.

— Le chemin de fer était plus sûr. Les diligences étaient tributaires du temps et de l'état des routes. Les chevaux se fatiguaient rapidement, les voitures et les roues de bois se brisaient facilement. Avec le chemin de fer, ces problèmes ne se posaient plus ; celui qui voyageait par le train, savait qu'il arriverait sans encombre à destination.

A la suite du plan gouvernemental, on créa

| Depuis quand la SNCF existe-t-elle ? |

de nombreuses compagnies, mais la plupart eurent des difficultés financières. Vers le milieu du siècle, 3 200 km de lignes seulement étaient ouverts. Comme les lignes du Nord avaient beaucoup de succès, Napoléon III encouragea la formation des grandes compagnies ayant chacune le monopole d'une région. Il y en eut six ; le Nord, l'Est, l'Ouest, Paris-Lyon-Méditerranée, Paris-Orléans et le Midi. Elles complétèrent les lignes, en ouvrirent des secondaires et en 1870, le réseau était terminé.

L'Assemblée Nationale vota la construction de 8 800 km supplémentaires, mais les compagnies ne voulaient pas ris-

quer leurs capitaux, et les nouvelles lignes passèrent sous la responsabilité de l'Etat. A la déclaration de guerre, les chemins de fer français étaient divisés en réseaux de l'Est, du Nord, de Paris-Lyon-Méditerranée, de Paris-Orléans, du Midi et de l'Etat. La Première Guerre mondiale montra l'importance des transports ferroviaires, qui, au fur et à mesure que la guerre avançait, devaient répondre à des exigences de plus en plus grandes. Les années d'après-guerre furent difficiles pour presque tous les chemins de fer du monde entier. Dans le même temps, les pays réexaminaient l'organisation de leurs chemins de fer et mettaient en question l'utilité des compagnies privées ; si bien qu'en France, l'Etat prit le contrôle de toutes les compagnies privées en 1938 ; réunies, elles formèrent la Société Nationale des Chemins de Fer Français, la SNCF.

Locomotive à vapeur allemande du début du siècle. Cette machine fut une locomotive de triage, de trains de marchandises et de voies secondaires.

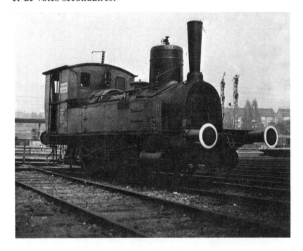

Locomotive de train rapide, du type 10, la dernière locomotive à vapeur utilisée par la Bundesbahn. Elle fut en service de 1958 à 1968, elle fonctionnait au mazout et, avec ses 2.500 ch, roulait à 140 km/h.

Les ouvriers qui construisirent la ligne transaméricaine devaient autant savoir manier un revolver qu'une pioche; les attaques des Indiens étaient incessantes.

COMMENT LE TRAIN CONQUIT UN CONTINENT

Le chemin de fer a apporté bien des modifications dans le monde entier; mais nulle part elles n'auront été plus décisives qu'aux USA. Lorsqu'en France s'ouvrit la ligne Paris-Saint-Germain, 1500 kilomètres de voies étaient déjà en service dans les Etats du Nord.

> **Quel État doit son expansion au train?**

Le premier navire qui emmena des colons européens en Amérique fut le célèbre «Mayflower» (1620). Il accosta naturellement sur la côte est du Nouveau Continent. C'est là que naquirent les 13 Etats de «Nouvelle Angleterre», noyau des futurs USA. En 1850, il y avait 15 000 kilomètres de voies le long de la côte est (600 kilomètres en 1842 en France); dix ans plus tard, les grandes villes de New York, de Philadelphie et de Boston existaient déjà avec leur environnement industriel. Le trafic ferroviaire était très développé sur la côte est.

Par contre, l'ouest des USA n'était pratiquement pas colonisé. Seule la côte du Pacifique connaissait quelques localités disséminées: leur fondation dépendait essentiellement de la découverte de filons d'or ou d'argent.

24

gnies de chemin de fer, la Central Pacific à Sacramento et la Union Pacific à Omaha obtinrent le permis de créer la voie allant d'est en ouest et donc vice versa. En 1867, dernier délai, les deux compagnies devaient avoir achevé leurs travaux respectifs. C'est à Ogden, petite localité sur le Grand Lac Salé que les équipes d'ouvriers des deux sociétés devaient se rejoindre. Celle qui atteindrait Ogden la première recevrait une récompense. Par ailleurs, les deux compagnies reçurent une subvention non négligeable : la terre sur laquelle elles posèrent leurs rails devint leur propriété.

La course gigantesque, la plus grande

> **Quel serment fit le chef Sitting Bull ?**

aventure de l'histoire du train commença le 8 janvier 1863. A l'ouest, il fallut vaincre les Montagnes Rocheuses (Rocky Mountains), et à l'est, la Prairie. A chaque endroit atteint pas les équipes d'ouvriers, surgissaient de nouvelles localités, de nouvelles industries. Mais ce n'est pas la nature qui fut le plus grand ennemi de cette entreprise. Le 29 juin 1865, le chef des Indiens Sioux-Ogellalah, Sitting Bull, fait un serment : par le Grand Manitou, il empêchera la construction du chemin de

Si quelqu'un voulait se rendre de la côte

> **Comment les Américains allèrent-ils d'un littoral à l'autre ?**

est à la côte ouest, il devait soit opter pour une longue et pénible traversée par le cap Horn (le canal de Panama n'existait pas encore), ou bien se mettre en route seul ou en convoi. Ce n'était pas sans danger. Personne ne savait exactement ce qui l'attendait derrière les fleuves du Mississippi et du Missouri ; seuls, des trappeurs et des chasseurs s'étaient aventurés dans la contrée sauvage des Indiens.

Pour réaliser une jonction rapide et sûre entre les deux côtes, le Congrès décida à Washington en 1862 de construire une ligne de chemin de fer longue de 2 480 km allant d'Omaha dans le Missouri jusqu'à Sacramento au bord du Pacifique. Omaha était le terminus d'une voie de chemin de fer venant de la côte est. Les deux compa-

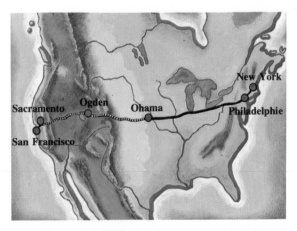

La ligne en pointillé indique le nouveau chemin de fer.

25

fer, car — pense-t-il avec raison - elle lésera ses frères de leur terrain de chasse. Les attaques succédant aux attaques, l'histoire de ce chemin de fer fut littéralement écrite avec du sang. Mais les Indiens ne furent pas les seuls à rendre la vie des ouvriers difficile : toutes sortes de canailles, d'assassins, de tricheurs, de chasseurs de primes et de filles légères collaient à leurs semelles. Il y eut des crimes et des meurtres, des pillages, du chantage, de la tricherie. On jouait beaucoup du colt, la vie humaine ne valait pas grand-chose. En 1867, on enterra 74 hommes dans le cimetière du chantier de Julesberg ; seuls, trois d'entre eux étaient morts de mort naturelle.

Ce combat des ouvriers et des ingénieurs

| Pourquoi enfonça-t-on des clous d'or à Ogden ? |

contre la nature et les hommes servit de thème à d'innombrables films de western que l'on tourna plus tard. Pour les Européens, ces westerns ne sont rien de plus que des produits de l'industrie des loisirs, mais pour les Américains, ce sont des récits historiques d'un passé sanglant.

En 1866, trois ans après le début des travaux, la Central Pacific n'avait réalisé qu'une percée de 150 km à travers les montagnes, et la compagnie fut menacée par la concurrence. La construction du tunnel de Summit, long de 400 m, dura à elle seule 18 mois.

Pourtant, les deux compagnies atteignirent Ogden le 9 mai 1869 sept ans avant le délai fixé par le Gouvernement. Le 10 mai, on posa les dernières traverses. Le gouverneur Stanford enfonça les deux derniers clous : ils sont en or massif.

La même année, commence un trafic de

| Les premières traversées des USA |

trains réguliers. Le voyage dure 8 jours et 8 nuits ; il faut un supplément de 50 dollars pour la nourriture (très médiocre) et une couchette.

La culture de céréales au cœur du continent, l'élevage du bétail et l'extraction des richesses du sous-sol deviennent intéressants. Le nouveau train emporte tout cela sûrement et rapidement vers les marchés côtiers. Un flot d'émigrants avides de terres se déverse au centre de ce continent, jusqu'alors dépeuplé. Partout, de nouvelles villes sont fondées, de nouvelles industries surgissent du sol et le visage de l'Amérique change pratiquement du jour au lendemain.

Le 10 mai 1869, le gouverneur Stanford vint à Ogden planter un clou d'or dans le dernier rail de la ligne transaméricaine. Ingénieurs et ouvriers firent une grande fête.

26

Vingt-quatre années seulement séparent ces deux locomotives électriques. C'est Werner von Siemens qui construisit le premier train électrique du monde (à gauche) et le présenta pour la première fois à Berlin en 1879. Siemens construisit également la première locomotive du monde qui établit le record de 210,2 km/h : en 1903 (à droite).

COMMENT LE COURANT ÉLECTRIQUE
SUPPLANTA LA VAPEUR

Le jour de l'inauguration du chemin de fer

| La première |
| locomotive |
| électrique |

transcontinental aux USA, le «Chicago Daily News» écrivait : «La locomotive à vapeur vient de confirmer son rôle éminent dans la technique. Personne ne pourra jamais lui ravir cette première place.»

Cent ans plus tard, en 1972, la vapeur disparaissait complètement du réseau ferroviaire français. Pourquoi la locomotive à vapeur, malgré ses possibilités et sa robustesse, disparaît-elle dans les pays développés ? D'où provient cette condamnation ?

La marche triomphale de la locomotive électrique commença en 1879. Et elle commença sous les éclats de rire des expérimentateurs. Cette année-là, l'ingénieur allemand Werner Siemens présenta une étrange locomotive à l'exposition industrielle de Berlin. Elle n'avait pas plus d'un mètre de haut, le chauffeur était assis à califourchon sur la petite machine. Le moteur électrique était alimenté en courant continu par un troisième rail, parallèle aux deux autres, et fournissait une force de 3 ch.

Cette force était transmise à quatre roues

| La première |
| caténaire |

de fer par un engrenage et donnait une vitesse de sept km/h à la locomotive tirant trois petits compartiments de voyageurs. Ce petit train promena les visiteurs à travers l'exposition.

Ce qui, au début, n'était qu'un amusement technique s'avéra rapidement être une sérieuse concurrence pour la locomotive à vapeur. Deux ans après cette première, on mit en service le premier tramway électrique du monde sur la ligne Berlin-Lichterfelde ; la motrice recevait le courant d'un troisième rail. Deux ans plus tard, le 5 novembre 1883, on inaugura un tramway semblable dans les rues de la ville de Portrush (Angleterre). Quelques années plus tard, on supprima le troisième rail et on installa une caténaire, c'est-à-dire un fil aérien de contact. Grâce au trolley, elle fournissait de l'énergie électrique au moteur. Le train de Portrush est donc l'ancêtre de toutes les locomotives électriques telles que nous les connaissons aujourd'hui.

De nombreuses villes se mirent alors à remplacer leurs tramways à chevaux par des tramways électriques. En 1890, à Londres, on ouvrit le premier métro électrique. Dès 1863, on avait déjà mis en service un métro à vapeur dans un autre quartier de la ville; la vapeur de ce train était conduite dans des chaudières refroidies et condensée durant le transport souterrain.

Tramway de Hambourg, en 1895. Le premier tramway (New York 1832) était une diligence sur rails. C'est à Berlin-Lichterfelde que circula en 1881 le premier tramway électrique du monde.

Mais la méfiance vis-à-vis de la traction

Vitesse de la locomotive la plus rapide en 1930

électrique ne s'était pas entièrement dissipée. Lorsqu'en 1896, la ville de Glasgow en Ecosse construisit, elle aussi, son métro, le Conseil Municipal s'insurgea contre l'utilisation du moteur électrique. Les trains étaient tirés au moyen de treuils à vapeur et de cordes. (Ce n'est qu'en 1935 que les Ecossais passèrent au courant électrique.)

Finalement, en 1903, un record sensationnel pour l'époque eut raison des derniers sceptiques: sur la ligne Zossen-Marienfelde, près de Berlin, deux locomotives électriques atteignirent la vitesse inouïe de 210,3 km/h. C'était non seule-

ment un record sur rails, mais encore un record absolu sur terre, sur l'eau et même dans les airs. Jamais l'homme n'avait encore pu se déplacer à une telle vitesse. Aujourd'hui, c'est le «Mistral», train de luxe de la SNCF, qui détient le record, avec 331 km/h. Ce «Mistral» est l'un des plus célèbres trains du monde; il circule sur la ligne Paris-Nice. Mais sa vitesse moyenne horaire ne se situe «qu'» autour de 160 km/h.

Au fil des ans, la locomotive électrique a

Les locomotives électriques remplacent celles à vapeur

largement supplanté sa concurrente à vapeur. Il y a à cela des raisons techniques et économiques. La locomotive à vapeur doit emporter avec elle tout son potentiel d'énergie, y compris l'eau et le charbon; la locomotive électrique est alimentée par la caténaire ou un troisième rail. Tout au long du parcours, la locomotive à vapeur a besoin de «stations service» pour se réapprovisionner en eau et en charbon; on fabrique la «houille blanche», c'est-à-dire le courant électrique, dans des centrales hydrauliques, thermiques ou nucléaires. Aussi longtemps qu'elle circule, la locomotive à vapeur doit fabriquer de la vapeur, même si elle est à l'arrêt; la locomotive électrique ne consomme de l'énergie que lorsqu'elle roule. Les locomotives électriques sont plus puissantes que les locomotives à vapeur, elles peuvent tirer plus rapidement des trains plus lourds, elles démarrent plus vite et franchissent mieux les dénivellations. (La plus puissante locomotive des Chemins de Fer allemands, la Bundesbahn, développe 14.000 ch, deux fois plus qu'un Boeing 707 au décollage). De plus, les locomotives électriques sont moins sensibles; on peut les utiliser sans danger durant un certain

Voici la Star de la Bundesbahn : la locomotive électrique de type 103 (en haut), vitesse maximale 200 km/h, 14.000 ch. Chaque « 103 » coûte 3,5 millions de DM (env. 7 millions de F). A la vitesse de 120 km/h, elle consomme autant de courant que 14.400 ampoules de 100 watts.
Cet autorail diesel du type 612 (en bas), quitte à Puttgarden (mer Baltique) le ferry-boat.

temps, tandis que les locomotives à vapeur risqueraient alors d'exploser. Des experts ont évalué approximativement les frais de la SNCF en courant électrique à 3 millions de Francs par jour.

La plupart des locomotives électriques

| Comment le courant arrive à la locomotive |

actuelles sont alimentées par du courant alternatif. Le courant est produit dans une centrale à 100.000 volts et arrive dans le secteur à environ 1.500 volts. Dans la locomotive, on le ramène à 600 volts pour les moteurs et à 250 volts pour les usages secondaires (lumière, etc.). Pour boucler le circuit centrale-locomotive-centrale, le courant est reconduit à la centrale par les rails. Les locomotives modernes possèdent une commande individuelle par essieu, c'est-à-dire que chaque essieu est entraîné par son propre moteur électrique.

Mais l'installation électrique des lignes coûte cher. C'est pourquoi, seules les lignes principales à fort trafic sont équipées électriquement. Les lignes secondaires et les locomotives moins puissantes sont équipées de moteurs diesel fonctionnant au fuel.

On n'utilise pas le moteur Otto pour les locomotives. Les moteurs Diesel sont accouplés à un générateur de courant continu, qui alimente un moteur électrique. C'est lui qui entraîne les roues. Sur les locomotives allemandes, par contre, la force du moteur est transmise aux roues par des engrenages.

Depuis la fin de la Seconde Guerre mondiale, on a électrifié de plus en plus les lignes. Mais la répartition géographique est assez compliquée. En gros, on peut dire que la traction électrique convient aux lignes à fort trafic, telles Paris-Rennes, Paris-Bordeaux-Espagne par exemple, qui ont une importance internationale. En 1977, il y avait en France 2320 locomotives électriques et 2220 locomotives Diesel. Par contre, plus aucune locomotive à vapeur. La locomotive de grand-papa est donc morte.

Contrairement aux autres moyens de transport, le chemin de fer est totalement indépendant des conditions atmosphériques. Des chasse-neige électriques rendent les voies praticables, même si la couche de neige est épaisse.

COMMENT LA DILIGENCE DEVINT UN EXPRESS

1 – Train de voyageurs américain de 1832. Le compartiment intérieur était la première classe, les places en balcon étaient la troisième classe.

Comment étaient les premiers compartiments ?

Lorsque la locomotive se mit à haleter pour la première fois, on ne connaissait qu'un moyen de transport en commun dans toute l'Europe : la diligence attelée à des chevaux. On détela donc les chevaux, on munit les diligences de roues métalliques avec une encoche et l'on accrocha ces petites voitures derrière une locomotive. Petit à petit, on osa de plus en plus confier sa vie à ces chevaux de feu, et bientôt, les compartiments des diligences ne suffirent plus. On construisit alors plusieurs compartiments les uns derrière les autres, compartiment après compartiment. Ainsi naquirent les premiers coupés. En Angleterre, ils étaient montés sur deux essieux, en Allemagne sur trois, directement reliés au châssis. Les essieux avaient un peu de jeu latéral pour pouvoir aborder les virages. On accédait aux compartiments par des portes situées de chaque côté.

Les classes apparurent très rapidement, avec un confort et un prix de billet différents. Il y avait quatre classes. En 1ère classe, on attribuait une banquette à trois passagers, en 2ème classe, à quatre, en 3ème à cinq. En 4ème classe, les voyageurs étaient debout, le toit était partiellement inexistant.

Qu'est-ce qu'un express ?

En hiver, il faisait terriblement froid dans les trains. Certes, les voyageurs de 1ère classe disposaient de bouteilles thermos dans leur compartiment ; ce n'était pas le cas des autres passagers. Avec les premiers trains de nuit, apparut le problème de l'éclairage. La solution apportée maintint le système des classes : les compartiments de 1ère classe avaient droit à des chandelles, les 2ème et 3ème classes à des lampes à pétrole, et les passagers de 4ème classe restaient dans le noir ; ce n'est qu'en 1912, lorsque la Compagnie Nationale des Chemins de Fer de Prusse fit construire les premiers wagons entièrement en métal du monde,

2 – Voiture de voyageurs de troisième classe (Angleterre, 1838). Ce n'était qu'un wagon à marchandises avec des ouvertures et des places assises. En 1844, le Parlement britannique décida que sur chaque ligne, il devait y avoir au moins un train de 3ème classe couvert par jour.

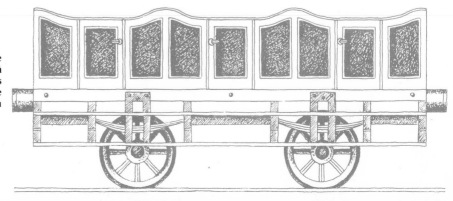

Wagons-tombereaux, et à l'arrière, un déchargeur automatique.

Transporteur de matériel lourd (jusque 400 t), roulant sur 32 essieux.

Wagons de marchandises couverts, pour le transport des colis.

Wagon de type «kangourou» pour le transport de semi-remorques routières.

Wagon plat pour le transport de lourdes charges, ici les pièces incandescentes sortant d'une fonderie.

que les passagers eurent tous le même éclairage: des ampoules électriques.

En 1870, on construisit les premiers wagons tels que nous les connaissons encore aujourd'hui dans les express. Les compartiments furent si réduits que l'on dut créer un couloir latéral. On supprima les portes de chaque compartiment, on montait à l'avant ou à l'arrière et on atteignait chaque compartiment par l'intérieur. Ces voitures étaient fixées sur un châssis mobile à deux essieux.

Ces derniers temps, en Europe, la voiture à grande capacité se rencontre de plus en plus fréquemment à côté de la voiture à compartiments. C'est un wagon dont les sièges se répartis-

Les premiers trains de voyageurs aux USA ?

sent à droite et à gauche d'un couloir central dans un compartiment unique, un peu comme dans un avion.

Aux USA, on a suivi l'évolution inverse. Là-bas, le bateau à vapeur était le moyen de transport le plus courant à côté de la diligence. Il comportait une seule grande salle avec un couloir central, et une porte à l'avant et à l'arrière. Les compagnies de chemin de fer américaines construisirent leurs voitures de voyageurs sur le même modèle. Les portes à chaque extrémité de la voiture permettaient d'accéder à deux plates-formes en plein air.

Au cours des dernières décennies, aux USA, on a de plus en plus abandonné cette forme de construction. Aujourd'hui, on y construit des voitures à voyageurs semblables à celles que l'on construisit en Europe au début de l'ère du chemin de fer, c'est-à-dire avec plusieurs compartiments individuels.

Les premiers trains de nuit n'avaient pas encore de lits. Certes, en 1830, aux USA, la Compagnie Cumberland-Valley construisit

Qui construisit les premiers wagons-lits ?

des voitures expérimentales avec couchettes. Le passager devait apporter ses draps et sa cuvette. Mais qui aurait pu dormir dans un train, au milieu des craquements et des cahots ? Au bout de quelques mois, la ligne Cumberland abandonna son expérience.

Le véritable inventeur des wagons-lits est l'Américain George Mortimer Pullman. A cause de son métier − il était ébéniste et entrepreneur en menuiserie −, il devait chaque jour effectuer un long trajet en train. Au cours de l'un de ces voyages, il lui vint une idée: avec de l'argent emprunté, il acheta deux vieilles diligences et les transforma en une voiture de chemin de fer avec deux compartiments à couchettes. On pouvait replier les sièges de la journée vers le sol, et on dépliait deux couchettes fixées au plafond. Entre les deux compartiments, il y avait un water-closet et un lavabo. L'ensemble avait des ressorts moelleux et était recouvert de peluche, la première voiture-pullman du monde était réalisée, et George Mortimer Pullman était un homme comblé. Car c'est d'après ce brevet que l'on construisit des wagons-lits dans le monde entier.

C'est en 1859 que l'on construisit aux USA le premier vrai train-couchettes. Dans la journée, c'était une grande voiture, et la nuit, on rentrait les sièges et l'on sortait les lits. Les couchettes individuelles étaient séparées les unes des autres par des rideaux. Ainsi avait-on une chambre à coucher roulante pour 24 personnes − hommes et femmes sans distinction.

Le premier wagon-couchettes du monde fut construit aux USA; il s'appelait «Pullmans Pionier». Vingt-quatre passagers pouvaient y dormir; les couchettes n'étaient séparées les unes des autres que par des rideaux mobiles.

Bibliothèque Municipale
STURGEON FALLS
Public Library

En 1876, on fonda à Bruxelles la Compagnie Internationale des Wagons-lits et Restaurants. En 1880, elle fit transformer trois voitures de 3ème classe en restaurants qui furent mis en service sur la ligne Berlin-Bebra. Les voitures ne possédaient pas de cuisine, les repas étaient préparés à l'avance dans les buffets des gares et servis dans le train. Aujourd'hui, la Compagnie dispose de plus de 802 wagons-lits, de 107 wagons-restaurants, de 20 pullmans et de 11 fourgons à bagages.

Trois ans plus tard, le 5 juin 1883, l'Orient-Express effectuait son premier voyage. Il n'était composé que de wagons-restaurants et de wagons-lits, et allait de Paris à Constantinople via Strasbourg, Stuttgart, Munich, Vienne, Budapest, il s'arrêtait à Bucarest. Ce train, qui était le premier grand express du monde, ne circule plus comme autrefois depuis 1976.

Au milieu du siècle dernier, les empe-

> **Quel trajet suivait l'Orient-Express?**

Compartiment de 1ère classe du « Rheingold » (or du Rhin) en 1928 Cet express luxueux circulait entre Hoek van Holland et Bâle et comprenait un wagon-restaurant et des wagons-lits. Pour parcourir la ligne (818,9 kilomètres), il mettait 12 heures et 18 minutes.

Compartiment de 1ère classe du « Rheingold » d'aujourd'hui. Ce TEE circule entre Hoek van Holland et Genève. Il comporte entre autres un wagon-restaurant et une voiture panoramique. Aujourd'hui, pour relier Hoek van Holland à Bâle, il met 8 heures et 8 minutes.

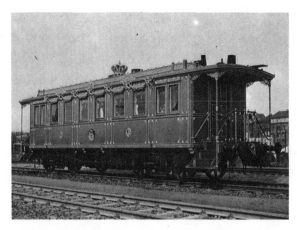

Voiture-salon du train du roi Louis II de Bavière. L'extérieur (ci-dessus) et l'intérieur (à droite) de la voiture sont en or et bleu. Elle est aujourd'hui au Musée des Transports de Nuremberg.

reurs et les rois européens s'intéressèrent aussi au chemin de fer. Jusqu'à la Première Guerre mondiale (1914-1918), l'Allemagne était morcelée en plusieurs petits Etats, avec chacun son roi, son grand-duc, son prince, et presque tous avaient une ou plusieurs voitures-salons formant le «train royal». La plus fantastique de toutes était la voiture du roi de Hanovre.

Une voiture fut construite en 1854, dans

| Dans quels trains y avait-il un trône ? |

un style diligence, et comportait au centre une salle du trône, avec un trône véritable. Par ailleurs, elle était ornée de nombreuses décorations. En dehors du roi de Hanovre, seul le Pape Pie IX avait un véritable trône dans sa voiture-salon.

Le train du roi Louis II de Bavière n'était pas moins original. Au début, il avait cru que l'avenir du transport n'était pas sur les rails mais sur l'eau. Mais 25 ans plus tard, il se fit construire un véritable château sur roues. L'extérieur et l'inté-

rieur de ce train étaient abondamment décorés en bleu ciel et or; il avait beaucoup d'ornements chargés, de fresques au plafond, de lions héraldiques, de putti et autres fioritures; mais surtout, le toit de la voiture-salon portait une énorme couronne en or. Cette voiture se trouve aujourd'hui au musée des Transports à Nuremberg.

Le train du Président français, bien qu'

| Combien de voitures compte le train présidentiel ? |

élégamment décoré, est tout de même plus sobre! Il se compose de six voitures, parmi lesquelles on compte une voiture-salon, une voiture-bar, une voiture pour la suite du Président. C'est essentiellement un lieu de travail sur roues, puisqu'on y a installé un télex et des lignes téléphoniques.

TOUS LES TRAINS NE ROULENT PAS SUR DEUX RAILS

Pour adapter le chemin de fer à des exigences ou à des con
ditions particulières, les ingénieurs ont varié le principe d
«quatre roues motrices sur deux rails». Rang supérieur (
partir de la gauche): locomotive du «Old Peppersass»,
plus vieux train à crémaillère du monde. Il fut construit e
1869 et conduit sur le Mount Washington (USA). Deux ar
plus tard, on ouvrit la ligne de Rigi en Suisse. En 1893, o
inaugura officiellement à Londres le premier métro d
monde. Campé sur des jambes longues de 6 mètres, et qui
terminaient par des roues, «Daddy Longleg» (Pap
Longues-jambes) traversait une baie de la mer du Nord pr

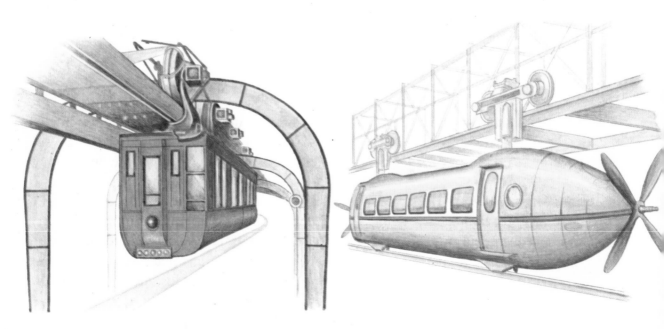

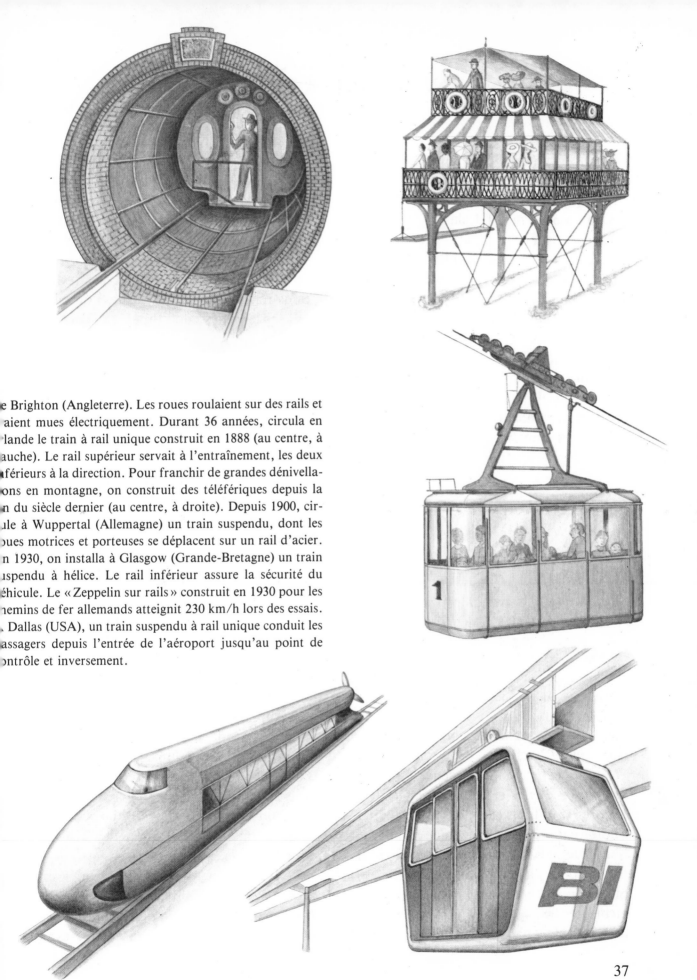

e Brighton (Angleterre). Les roues roulaient sur des rails et
aient mues électriquement. Durant 36 années, circula en
lande le train à rail unique construit en 1888 (au centre, à
auche). Le rail supérieur servait à l'entraînement, les deux
férieurs à la direction. Pour franchir de grandes dénivella-
ons en montagne, on construit des téléfériques depuis la
n du siècle dernier (au centre, à droite). Depuis 1900, cir-
le à Wuppertal (Allemagne) un train suspendu, dont les
ues motrices et porteuses se déplacent sur un rail d'acier.
n 1930, on installa à Glasgow (Grande-Bretagne) un train
uspendu à hélice. Le rail inférieur assure la sécurité du
éhicule. Le «Zeppelin sur rails» construit en 1930 pour les
hemins de fer allemands atteignit 230 km/h lors des essais.
Dallas (USA), un train suspendu à rail unique conduit les
assagers depuis l'entrée de l'aéroport jusqu'au point de
ontrôle et inversement.

COMMENT UN TRAIN ARRIVE SANS ENCOMBRE À DESTINATION

On considère le train comme le moyen de

<table><tr><td>**Pourquoi le train est un moyen de transport sûr**</td></tr></table>

transport le plus sûr et le plus régulier. Cela est dû, d'une part, à ses innombrables systèmes et réglements de sécurité ; d'autre part, aux horaires qui peuvent être respectés avec beaucoup plus de précision que dans les autres moyens de transport. Le chemin de fer, dépendant de ses rails, ne connaît finalement qu'un mouvement rectiligne, dans le sens de sa voie. Par contre, les voitures et les bateaux peuvent se déplacer dans deux directions, et les avions dans

La légende de cette caricature parue dans un journal en 1847 était libellée comme suit : « Revêtement contre les accidents de train. »

trois, ce qui augmente considérablement les risques d'accident.

La SNCF connaît deux horaires, l'horaire d'été et l'horaire d'hiver. L'horaire d'hiver ne se distingue de l'horaire d'été que par quelques modifications dues aux conditions saisonnières. Ils sont publiés dans l'« Indicateur officiel », qui comprend cinq volumes : les renseignements généraux, (240 pages), la banlieue, le sud-est (299 pages), le nord (101 pages),

l'est (183 pages), le sud-ouest (158 pages) et l'ouest (143 pages). C'est plus de 6 mois à l'avance que l'on met au point l'horaire d'été, qui est donc pratiquement valable pour toute l'année. Lors de conférences internationales, on décide des dates pour le grand trafic international. Les dates des trains régionaux dépendent des conférences avec les représentants de l'industrie, du commerce, du tourisme et autres associations intéressées. Un trimestre environ avant l'entrée en vigueur du nouvel horaire, le travail est terminé et l'on imprime l'« Indicateur officiel. »

C'est au moyen d'un graphique que l'on

<table><tr><td>**Comment déterminer un horaire de trains ?**</td></tr></table>

détermine les heures de départ et d'arrivée des trains. Il s'agit d'une longue bande de papier où s'entrecroisent des lignes. Sur ce graphique, on représente chaque train par une ligne droite. On peut donc y constater où et quand il passe, où il s'arrête, où il doit attendre une correspondance, croiser un autre train roulant en sens contraire, etc. Auparavant, on avait préalablement calculé à l'aide d'un appareil spécial le temps nécessaire à un train pour aller d'une gare à l'autre, sous certaines conditions : parcours, vitesse, puissance de la locomotive, poids des voitures tirées, épreuves inhabituelles, comme les dénivellations, par exemple.

Pour le trafic sur rail, la sécurité est encore plus importante que la ponctualité. A ses débuts, le chemin de fer ne connaissait pas encore ce problème. Il n'y avait souvent qu'un seul train par voie, les télescopages étaient exclus. L'unique problème des premiers trains était, somme toute, de pouvoir freiner en temps utile avant chaque gare. Dans les premiers trains européens, il y avait toutes les deux ou trois voitures une guérite de garde-frein où se tenait un préposé. On freinait à la main, c'est-à-dire que le garde-frein tournait une manivelle, de sorte que le sabot du frein serrait la bande de roulement de la roue. S'il arrivait un accident à l'arrière du train, le système de freinage ne servait à rien : le chauffeur de la locomotive ne remarquait rien et continuait à rouler à toute vapeur.

Mais dans les premiers trains américains,

Qui inventa le frein à air comprimé ?

c'était encore pire. Le garde-frein était assis près du chauffeur, dans la locomotive. Ni l'un ni l'autre ne remarquaient les éventuels incidents de parcours. Mais s'ils remarquaient quelque chose, le garde-frein devait grimper sur les toits des voitures pour atteindre celle qui était accidentée et utiliser le frein. Jusqu'en 1881, il y eut aux USA exactement 30 000 gardes-freins grièvement ou mortellement blessés en service.

Le fabricant américain George Westinghouse fut un jour le témoin d'un tel accident. Il se demanda quel remède l'on pouvait apporter à cette situation. Quelques jours plus tard, il lut par hasard dans un journal que l'on avait utilisé des marteaux-piqueurs à air comprimé pour construire un tunnel. De l'air comprimé ? Pourquoi ne pourrait-on pas aussi freiner avec de l'air comprimé, se dit-il.

Trois ans plus tard, en 1868, on vit le premier train muni de freins à air comprimé Westinghouse. Ces freins furent

l'une des rares inventions qui connurent le succès dès le début. En Allemagne, ils furent ensuite repris et améliorés par Knorr. On les trouve aujourd'hui sur tous

Coupe d'un frein à air comprimé. En position mobile (en dessus), la pompe à air (A) envoie l'air comprimé à travers le réservoir d'air principal (B) jusque dans le conduit d'air principal (C). Le piston dans la soupape de direction (D) se trouve placé de telle manière que l'air comprimé ne peut pas quitter le réservoir secondaire (E) pour pénétrer dans le cylindre du frein (F). Si le mécanicien de la locomotive met la soupape de frein (G) sur la position «freinage» (en dessous), l'air comprimé s'échappe du conduit d'air principal. Le piston situé dans la soupape de direction remonte, l'air comprimé sort du réservoir secondaire et presse le piston de freinage (H): le train est stoppé.

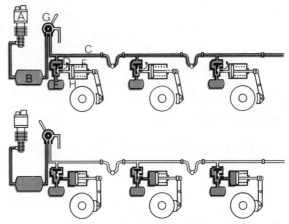

les trains et les camions. En France, la SNCF utilise les freins Westinghouse, Knorr et Charmilles.

Fixée sur la locomotive, une pompe à air

Comment fonctionnent les freins ?

actionnée à la vapeur envoie une pression de cinq atmosphères dans la principale réserve d'air comprimé. Par la conduite d'air principale, l'air arrive dans la réserve de chaque voiture. Lorsqu'il faut freiner, le chauffeur de la locomotive libère une partie de l'air comprimé du compresseur principal au moyen d'une soupape – ce qui émet un sifflement. La pression dans le conduit baisse, les soupapes de commande coupent automatiquement l'arrivée de l'air comprimé dans les réserves individuelles des voitures; la pression d'air

Comme un avion de ligne reste en permanence en contact avec les stations au sol, le rapide est signalé de poste d'aiguillage en poste d'aiguillage. Ci-dessus un rapide tiré par une 103 en pleine vitesse; à gauche, un tableau lumineux de contrôle optique.

diminue dans les cylindres de frein, les sabots des freins viennent s'appliquer sur le bandage de la roue, le train est stoppé. A la vitesse maximale de 100 km/h, la distance de freinage des trains normaux s'étale sur 1.000 m. Les trains rapides possèdent le frein électropneumatique, dont les distributeurs à air comprimé sont commandés électriquement. D'autres ont en plus des freins magnétiques, dont les aimants commandés électriquement, s'appliquent sur les rails. Pour repartir, le chauffeur de la locomotive place le levier en position «remplissage». Le cylindre

principal reçoit de nouveau une pression de cinq atmosphères, les conduits se remplissent aussi, les soupapes de commande reprennent leur position initiale, les sabots des freins libèrent le bandage des roues, et le train peut repartir.

Par ailleurs, il y a un «signal d'alarme» dans chaque compartiment. C'est une poignée que les passagers peuvent tirer en cas d'urgence. Un système de conduits relie le signal d'alarme au système de freinage; tirer la poignée entraîne le même processus d'arrêt; le freinage s'ensuit, brutal, avec des secousses.

Lorsque le réseau ferroviaire s'accrut et

Comment organise-t-on un parcours?

que les trains roulèrent plus vite, se posa un autre problème de sécurité: les trains ne devaient pas se suivre de trop près. Pour empêcher cela, on découpa les parcours en appelés tronçons «cantons», qui ne devaient être parcourus que par un seul train à la fois. Au début du canton, il y a un signal, qui indique au conducteur de la locomotive si le tronçon est libre et si le train peut s'y engager. Aujourd'hui, des instruments de contrôle très compliqués veillent à ce que la position du signal et l'état du parcours coïncident parfaitement. Dans les gares, avec leur enchevêtrement de rails et d'aiguillages, ces installations contrôlent par ailleurs si tous les aiguillages sont bien en place.

Au départ, les signaux et les aiguillages étaient manœuvrés sur place à la main; plus tard, on installa des postes de commande d'aiguillages, dans lesquels on centralisait les manœuvres de signaux et d'aiguillages. Des palans assuraient la liaison entre le poste de commande, les signaux et les aiguillages. Aujourd'hui, la SNCF dispose encore de nombreux postes de commande d'aiguillages mécaniques.

Depuis le début du siècle, les postes à transmission mécanique disparaissent de plus en plus au profit de «postes à pouvoir»: des mécanismes électriques ont remplacé les leviers mécaniques si pénibles. Aujourd'hui, il existe des postes à pouvoir.

Beaucoup de ces postes à pouvoir sont

Des ordinateurs contrôlent les parcours?

conduits électroniquement, c'est-à-dire qu'ils reçoivent les ordres, non plus de l'homme, mais d'un programmateur. Celui-ci surveille aussi si tous les cantons sont libres. Cette surveillance, effectuée par ces postes dits «P.R.S.» (postes tous relais à transit souple et enregistrement) qui sont déjà en service sur certaines lignes, s'effectue de deux

manières: 1) Chaque canton représente un circuit électrique fermé. Le courant retourne du rail gauche à la source de courant en passant par un relais à l'extrémité du canton. Lorsqu'un train s'engage dans le canton, il y a un court-circuit, car les essieux forment alors un relais. Le poste d'aiguillages enregistre ce court-circuit, et le signal placé devant le canton passe sur «stop». 2) Au début et à la fin de chaque canton, des compteurs enregistrent le nombre d'essieux engagés dans le canton et le nombre de ceux qui le quittent. Tant que les compteurs observent une différence, la voie n'est pas libre, le signal reste sur «stop». On peut visualiser tous ces processus sur une table de commande lumineuse. A chaque instant, le régulateur assis devant peut apprécier l'état de la voie.

Le P.R.S. le plus moderne d'Europe se

Que fait l'île cybernétique?

trouve à Versailles, près de Paris. Mais la commande centralisée est répandue dans tous les

pays. En Allemagne, par exemple. L'installation la plus moderne de la Bundesbahn est «l'île cybernétique» située à Hanovre. Sur une section entre Hanovre et Brême, ce ne sont plus les hommes qui commandent les trains, mais le programmateur de l'île cybernétique. L'île reçoit en permanence toutes les données qui concernent la voie et détermine les ordres correspondants, qu'elle transmet immédiatement aux aiguillages, signaux, etc.

Les signaux doivent donner au conducteur de locomotive certaines informations ou l'inciter à prendre certaines mesures. Mais on peut imaginer que le conducteur ne réagisse pas. Prenons un exemple: un TEE (Trans-Europ-Express) fonce sur la voie à 160 km/h. Un présignal indiquant « arrêt absolu » se déclenche 1.000 m avant le signal principal. Le canton suivant n'est pas libre, le conducteur doit stopper la locomotive sur cette longueur de 1.000 m.

Pour montrer qu'il a bien compris le signal, il doit actionner un levier muni d'un gros bouton. Cette action déclenche un signal sonore, et une lampe jaune s'allume. Puis le conducteur doit freiner. Mais que se passe-t-il au cas où il s'est évanoui ? Ou si, pour d'autres raisons, il ne peut réagir au signal « freiner » ?

Poste de conduite d'une locomotive électrique moderne. A côté de la main gauche du conducteur, l'« homme-mort ». Les trois boutons au-dessus de la manivelle font partie de l'installation de fréquence par induction. Le tachomètre carré (sous l'essuie-glace) indique la vitesse à ne pas dépasser et la vitesse réelle du train. Avec le volant, le conducteur détermine la vitesse du train. Les deux poignées près de la paroi latérale, à droite du conducteur de la locomotive sont les freins.

Le levier au gros bouton fait partie d'une

La signalisation d'abri et la V.A.C.M.A.

installation de signalisation d'abri, ou de cabine. Si le conducteur de la locomotive ne freine pas, au bout de 4 secondes, la signalisation déclenche un freinage d'urgence entièrement automatique. Mais cette signalisation est prudente : même si le conducteur freine, la signalisation contrôle la vitesse. Une fréquence de 370 Hz, captée inductivement par la locomotive, fait apparaître des lettres lumineuses, et le conducteur doit aussitôt ramener son train de la vitesse plafond à 160 km/h. Un dispositif

de contrôle intervient en cas de non-respect de la vitesse de freinage. Le conducteur connaît donc toujours la vitesse réelle de son train et celle à ne pas dépasser. Toute défaillance de sa part entraîne un freinage d'urgence.

Mais cette installation a une sœur encore plus méfiante : la V.A.C.M.A. (veille automatique à contrôle du maintien d'appui) ; c'est un détecteur de présence,

Dans une grande gare de triage, les trains de marchandises sont rangés sur des voies spécialement prévues. C'est à cet endroit que de nouveaux trains sont formés.

l'«homme mort» des cheminots. Aussi longtemps que la locomotive se déplace, donc dès le départ, le conducteur doit appuyer sur une pédale ou une touche, tout en la relâchant au moins toutes les trente secondes. S'il ne le fait pas, s'il appuie donc sans cesse ou plus du tout sur la V.A.C.M.A. – le conducteur pourrait avoir perdu connaissance et s'effondrer sur ou à côté de la V.A.C.M.A. –, alors elle «pressent» le danger et un klaxon se fait entendre. S'il ne se passe toujours rien, il y a freinage d'urgence. La V.A.C.M.A. stoppe en même temps tous les moteurs. Elle le fait également lorsque la signalisation d'abri exige un freinage d'urgence.

Comment contrôle-t-on les voies?

On surveille en permanence non seulement les signaux et les aiguillages, mais la SNCF fait aussi contrôler régulièrement les voies. Il en est de même dans tous les pays. Un train spécial de contrôle est stationné à Minden, en Allemagne. Pour les contrôles de la Bundesbahn, il parcourt chaque année 26.000 kilomètres de voies et détecte les dommages. En roulant, il «ausculte» les rails avec 30.000 émissions d'ultra-sons à la minute; un cinquante-millionième de seconde plus tard, l'écho est transcrit sur un film. Les spécialistes peuvent déterminer les défauts et les dégâts du matériel.

Cette locomotive à vapeur est hors de circulation à l'heure actuelle, car sa vitesse est bien moindre que celle des locomotives électriques utilisées de nos jours.

Avec 500 impulsions d'ultra-sons à la seconde, ce train contrôle les éventuels défauts des rails.

COMMENT ROULERA LE TRAIN DE DEMAIN

Sur les lignes de chemins de fer européens,

Combien de voitures attelle-t-on chaque jour ?

va se produire bientôt une révolution, que les passagers ne remarqueront pas. En l'espace de quelques heures, dans toute l'Europe, de la Suède à la Sicile, on modifiera les attelages des voitures ; les attelages à main seront remplacés par des attelages-tampons automatiques.

Chaque jour, on effectue plusieurs milliers d'attelages à la main à la SNCF. On commence par relier entre eux les attelages des deux voitures, puis les tuyaux de freins et enfin les circuits électriques. Et ce, plusieurs milliers de fois, ce qui représente un nombre considérable d'heures de travail.

L'Hokaido, express japonais roulant à 250 km/h, est le train le plus rapide du monde. A l'arrière-plan, le symbole du Japon : le Fuji-Yama.

Ce changement caractérisera le trafic ferroviaire de demain :

Quelle sera la vitesse du train de demain ?

l'automatisation est un atout. Car les grandes vitesses ne sont rendues possibles que par l'automatisation. Les trois quarts des accidents de chemins de fer sont à imputer à la défaillance humaine ; le système nerveux et les capacités humaines de réaction ne sont donc pas compatibles avec des vitesses élevées.

La vitesse des trains de demain sera considérablement plus élevée que les vitesses actuelles. Il faudra pour cela créer de nouvelles lignes. On va transformer une partie des lignes existantes en lignes pour trains à grande vitesse (T.G.V.). Les rails seront fixés sur des traverses de béton précontraint au moyen d'agrafes élastiques et interposition d'une semelle en caoutchouc souple.

D'autre part, on construira à l'avenir

Ancien attelage : une minute de travail manuel.

Attelage moderne : s'enclenche tout seul.

A l'avenir, on rapprochera doucement les voitures les unes des autres, et l'attelage s'enclenchera.

Ce changement doit intervenir en même temps dans tous les pays. Le trafic ferroviaire européen est tellement dense que toutes les voitures françaises doivent pouvoir être attelées aux autres voitures européennes.

des lignes pour trains super-rapides; grâce à de nouveaux systèmes de traction, les trains y atteindront des vitesses égales à 500 km/h. Sur ces lignes, tout sera automatique. Dans les cabines des locomotives et dans les postes d'aiguillage, les hommes n'auront qu'un rôle d'observateur.

Ces lignes à grande vitesse nécessitent de

Les super-locomotives n'auront pas de roues

nouvelles locomotives. Les locomotives ancienne manière – qu'elles soient à vapeur, diesel ou électriques –, ne peuvent pas dépasser 340 km/h. A des vitesses supérieures, le contact des roues avec le sol est trop réduit, elles pourraient se renverser.

Les locomotives et les voitures circulant sur ces lignes n'auront donc pas de roues et ne se mouvront pas sur deux rails. Elles ne seront plus en contact avec le sol, mais elles seront sustentées sur un rail-guide. Pour cela, on expérimente deux systèmes : l'aérotrain et le train magnétique.

Près d'Orléans, on expérimente déjà un train sur coussin d'air. La voie de béton mesurant 16 kilomètres repose sur des piliers qui ressemblent à des « V » renversés ; la caisse du train a 3,90 m de large, et elle enjambe un rail de béton de 90 cm de hauteur. Le train « chevauche » des coussins d'air produits par des souffleries montées de chaque côté du rail central. Cet aérotrain est propulsé par une turbine à gaz, comme un avion à réaction. Il a déjà atteint 300 km/h; des vitesses supérieures sont possibles. D'ici quelques années, l'aérotrain doit circuler entre

Paris et Orléans. En Angleterre, on poursuit des recherches similaires.

En électricité, des pôles semblables se

Quelle force propulse un train magnétique ?

repoussent et des pôles contraires s'attirent. Le train magnétique est basé sur ce principe. On l'expérimente à Munich (Allemagne). La ligne expérimentale et le train expérimental sont équipés de puissants électro-aimants. A droite et à gauche de la caisse du train (voir illustration en haut, à droite), les aimants du train passent sous l'aimant de la voie. Le pôle Sud et le pôle

En suspension sous deux champs magnétiques et suivant un aimant se déplaçant devant lui, ce train doit atteindre à l'avenir des vitesses avoisinant 500 km/h. On l'expérimente près de Munich (Allemagne Fédérale) avec une maquette mesurant 7,5 m et pesant 7 t.

Nord sont opposés. Dirigée par des ordinateurs, la force d'attraction de l'aimant du train est toujours maintenue de telle manière qu'elle équilibre le poids du train. Le train est donc «suspendu» aux aimants de la voie, sans la toucher. Lorsqu'il doit démarrer, on branche devant lui les aimants de propulsion. N'étant gêné par aucun frottement, le train est attiré vers l'avant. Lorsqu'il a atteint les aimants qui l'attirent, on débranche ces aimants et on enclenche les suivants. C'est ainsi que le train suit une onde magnétique placée devant lui – et plus le champ magnétique est puissant, plus il roule vite. Les trains magnétiques peuvent atteindre une vitesse de 500 km/h.

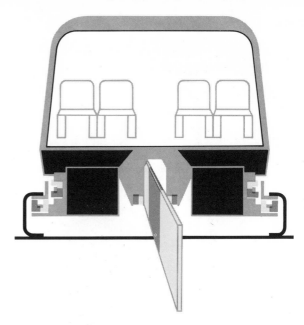

Les champs magnétiques (bleus) portent et tirent le train.

A quelle propulsion appartient l'avenir ?

Ces expériences aboutiront certainement un jour. Mais ces systèmes ne supplanteront pas complètement les différents moyens de propulsion actuels. Les aérotrains et les trains magnétiques ne sont rentables que sur certaines distances – on estime leur longueur grosso modo entre 150 et 600 km; pour les distances plus courtes, les locomotives diesels et électriques continueront à circuler; quant aux avions ils se chargeront des grandes distances.

Mais les turbines à gaz, les moteurs électriques et diesels finiront vraisemblablement par disparaître un jour. Aux USA et en Union Soviétique, des savants travaillent à des moteurs atomiques, qui sont si petits que l'on peut les installer dans les locomotives. Leurs barres d'uranium chauffent l'eau, la vapeur sous haute pression entraîne une turbine à vapeur, dont l'énergie est transmise aux roues. Le moteur atomique peut, bien entendu, produire également de l'électricité, qui peut propulser la locomotive d'un train magnétique ou d'un aérotrain. L'avenir du chemin de fer est dans l'énergie atomique.

L'un des plus beaux ponts ferroviaires du monde est celui qui enjambe le Fehmarnsund. Il relie l'Allemagne de l'Ouest à l'île de Fehmarn, en mer Baltique.

QUELQUES RECORDS

La **plus longue ligne de chemin de fer** du monde est celle du Trans-Sibérien-Express. Il va de Tchéliabinsk en Oural (URSS) à Vladivostok, sur le Pacifique. Longueur : 7 416 km, durée de construction : 25 ans. La **plus longue ligne droite** se trouve en Australie, entre Adelaïde et Perth. Dans le désert de Nullarbor, on compte 518 km sans courbe, sans pont, sans passage souterrain, sans route, sans fleuve, sans maison, sans hommes − rien que du sable. La **plus haute ligne de chemin de fer** du monde fut construite en Bolivie, sur un sommet situé à 4 880 m ; **la ligne la plus basse** longe le lac de Genezareth en Israël, à 208 m sous le niveau de la mer. La **plus ancienne ligne montagnarde** du monde − elle conduit sur le Mount Washington (1 918 m) aux USA − fut ouverte en 1869 (voir la locomotive Old Peppersass page 36). **La ligne montagnarde la plus rapide** est la ligne Pilatus près de Lucerne (Suisse) ; la dénivellation est de 26 degrés, c'est-à-dire que le train monte de 48 m tous les 100.

Le **plus long pont de chemin de fer** est situé à Cernadova (Roumanie) sur le Danube. Il mesure 3 850 m. Le **plus long viaduc ferroviaire** est cinq fois plus long. Il franchit les 19 km du Grand Lac Salé dans l'Utah, aux USA. Le **plus long tunnel de chemin de fer** mesure 21 760 m : c'est le tunnel Huntington, en Californie aux USA.

La **plus imposante locomotive** du monde est une locomotive américaine. Elle mesure 42 m de long, ses 16 moteurs électriques développent une puissance de 6 000 ch. La **locomotive la plus précieuse** fait partie d'un train mesurant un mètre de long au total, autrefois la propriété de la famille du Tsar, aujourd'hui dans un musée de Crimée. La locomotive est en platine, les deux voitures sont en or et en brillants.

La **plus grande gare du monde** est le Grand Central Terminal à New York ; elle a deux étages et compte 67 voies. La **gare la plus haute** est celle de la petite ville péruvienne de Galera : elle est à 4 780 m d'altitude. Le **plus long quai du monde** est celui d'un métro de Chicago : il mesure 1.067 m. Et la plus **grande salle d'attente** du monde fut ouverte en 1959 à Pékin − elle peut contenir 14.000 personnes.

Enfin, c'est au guichet d'une petite ville du pays de Galles (Grande-Bretagne) que l'on peut acheter le **plus long ticket de quai** du monde. Il mesure 15 cm de long. Motif : sur ce ticket, on a imprimé en entier le nom de la localité. Et c'est : Llanfairpwllgwyngyllgogerychwynrndrobwllantysiliogogogoch.

Bibliothèque Municipale
STURGEON FALLS
Public Library

Imprimé en Belgique